Nick
la main froide

François Tardif

la main froide

ÉPISODE 14

LA COUPE DE CRISTAL

Illustrations de Michelle Dubé

Les éditions du petit monde
2695, place des Grives
Laval, Québec
H7L 3W4
514 915-5355
www.leseditionsdupetitmonde.com
info@leseditionsdupetitmonde.com

Direction artistique : François Tardif

Révision linguistique
et correction d'épreuves : Josée Douaire
Conception graphique : Olivier Lasser
et Amélie Barrette
Illustrations : Michelle Dubé

Dépôt légal,
Bibliothèque et Archives nationales du Québec, 2009

Catalogage avant publication de Bibliothèque et Archives nationales du Québec et Bibliothèque et Archives Canada

Tardif, François, 1958-

La Coupe de Cristal

(Nick la main froide ; épisode 14)
Pour les jeunes de 9 à 12 ans.

ISBN 978-2-923136-19-6

I. Dubé, Michelle, 1983- . II. Titre. III. Collection: Tardif, François, 1958- . Nick la main froide ; épisode 14.

PS8589.A836C68 2009 jC843'.6 C2009-941347-7
PS9589.A836C68 2009

FRANÇOIS TARDIF est né le 17 août 1958 à Saint-Méthode au Québec.

Il a étudié en théâtre, en cinéma et en scénarisation. Auteur de la série télévisée *Une faim de loup* diffusée sur Canal famille et sur Canal J en Europe, il en interprète aussi le rôle principal de Simon le loup. Il est aussi l'auteur de nombreuses pièces de théâtre pour enfants, dont *La gourde magique*, *À l'ombre de l'ours*, *Vie de quartier*, *La grande fête du cirque*, *Dernière symphonie sur l'île blanche*, *L'aigle et le chevalier* et *Les contes de la pleine lune*.

Ces dernières années, il a écrit plus de 30 romans jeunesse dont *La dame au miroir*, *Espions jusqu'au bout*, *L'hôtel du chat hurlant*, *Le sentier*, *Numéro 8*, *Les lunettes cassées*, *Des biscuits pour Radisson*, *Pistache à la rescousse*, *Les jumeaux Léa et Léo* et bien d'autres encore.

En préparation; les 4 tomes des romans pour adolescents: *Klara et Lucas*.

Depuis quelques années, il plonge dans l'univers de Nick la main froide et prépare déjà l'écriture de ses prochaines aventures, dont *Le dôme de San Cristobal* et d'autres histoires qui mèneront Nick et toute sa bande aux quatre coins de la planète. Plus de 36 épisodes sont prévus dans la série Nick la main froide.

* * *

MICHELLE DUBÉ est née le 5 septembre 1983 à Baie-Comeau.

Elle crée avec Joany Dubé-Leblanc la revue *Yume Dream*, dans laquelle elle publie ses bandes dessinées. Elle travaille aussi comme dessinatrice avec Stéphanie Laflamme Tremblay à une nouvelle BD.

Elle adore le dessin et l'écriture. Cela lui permet de s'évader et d'avoir une bonne excuse pour avoir l'air dans la lune. Durant ses passe-temps, en plus d'adorer la compagnie des animaux, elle dévore les romans en grande quantité. Collaboratrice pour Les éditions du petit monde depuis le tout début de la série Nick, elle continue à nous offrir les illustrations de tous les *Nick la main froide*.

Résumé de la série jusqu'ici

Nick a une main froide. Sa tante Vladana, alchimiste et sorcière, fabrique des parfums et des potions qui guérissent les gens. Un jour, elle entreprend la fabrication d'un élixir aux propriétés secrètes. Dans un livre très ancien qu'elle a exhumé d'un tombeau égyptien, elle trouve une liste de 360 ingrédients saugrenus. En réalisant cette potion, un accident se produit et Nick reçoit sur sa main droite un liquide inodore et invisible. Sa main a maintenant des propriétés insoupçonnées que Nick découvre au fil des jours. Son nouveau voisin, Martin, est le premier à comprendre que cette main est dotée de pouvoirs. À partir de ce jour, Nick et Martin deviennent d'inséparables amis et partagent tous leurs secrets. Béatrice Aldroft, une Américaine qui vient vivre au Québec pendant un an, se lie d'amitié avec eux. Ensemble, ils décident de changer le monde.

Dans l'épisode 7, Nick et ses amis ont appris que Vladana est immortelle. Cette révélation changera tout ce qu'ils entreprennent. Dans l'épisode 8, Martin, grand joueur de soccer, cherche à faire partie des White Wings, une équipe regroupant les meilleurs joueurs chez les douze ans et moins au pays. Grâce à l'aide de Nick, Vladana et Béatrice, Martin va puiser au plus profond de lui pour vivre cette expérience fantastique.

Dans l'épisode 9, *La neuvième merveille du monde*, Nick, Béatrice et Martin se retrouvent en possession d'une sculpture cassée en deux représentant un temple mystérieux et secret. En Égypte, deux jeunes, Mohamed et Mahmoud, trouvent la deuxième partie de ce temple en pensant qu'il s'agit d'un trésor. Ces deux sculptures et leurs énergies précieuses réunissent ces jeunes et les entraînent tous ensemble bien au-delà du monde connu.

Dans l'épisode 10, *Les gardiens du temps*, Nick et Béatrice se perdent dans les dédales des couloirs du temps pendant que Martin et son équipe de soccer courent de graves dangers lors de leur voyage en Égypte. Pour venir en aide à Martin, Nick et Béatrice doivent affronter les gardiens des grands mystères égyptiens, dont le sphinx lui-même.

Dans l'épisode 11, au milieu d'une interminable tempête de sable, Nick, Béatrice et Martin réussissent, après de multiples efforts, à atteindre le mythique temple d'Osiris. Ils y découvrent un secret précieux.

Dans l'épisode 12, Nick et Vladana donnent un coup de main au destin et aide à partager une énergie exceptionnelle qui génère encore aujourd'hui ses effets dans le monde.

Dans l'épisode 13, *La montagne sacrée*, Nick et Béatrice se perdent dans les dédales des couloirs du temps pendant que Martin et son équipe de soccer courent de graves dangers lors de leur voyage en Égypte. Pour venir en aide à Martin, Nick et Béatrice doivent affronter les gardiens des grands mystères égyptiens.

Vous pouvez aussi lire :

Épisode 1 : *Les larmes du sorcier*
Épisode 2 : *Miracles à Saint-Maxime*
Épisode 3 : *Les espions*
Épisode 4 : *La boîte de cristal*
Épisode 5 : *La clef du mystère*
Épisode 6 : *Une sorcière à Salem*
Épisode 7 : *Le secret de Vladana*
Épisode 8 : *Le secret de la pyramide*
Épisode 9 : *La neuvième merveille du monde*
Épisode 10 : *Les gardiens du temps*
Épisode 11 : *Le temple d'Osiris*
Épisode 12 : *Le Phare d'Alexandrie*
Épisode 13 : *La montagne sacrée*

CHAPITRE 1

Enfin, la Coupe est tout près !

Martin, Nick et Béatrice se serrent très fort dans les bras. Ils sont à Paris. La magnifique ville de Paris va leur faire découvrir ses merveilles. La Tour Eiffel, la Cathédrale Notre-Dame, le Musée du Louvre, les bords de la Seine, ... ils pourront tout visiter. Le clou du programme de la journée : la première visite au Parc des Princes, là où Martin et son équipe vont peut-être réussir à toucher à la Coupe de Cristal. Martin est tout de même un peu triste car son père a disparu. Marc-Olivier Allart, en effet, en ressortant de la pyramide de Khéops en Égypte avec tout le groupe, ne s'est pas joint à eux. Il a plutôt décidé de fuir pour remplir une mission. Il a décidé de tout faire pour lutter contre le vilain Rohman. Connaissant ses habitudes de vie à Alexandrie, il lui a subtilisé la boule de feu que Rohman avait volée dans le Phare d'Alexandrie. Cela a mis Rohman dans une colère terrible. Marco a tant de choses à révéler au monde mais pour le moment, il doit se cacher. Il sait que Rohman mettra toutes ses énergies à le retrouver avant la fin du tournoi.

La compétition internationale de football chez les douze ans et moins commence justement demain matin. Soixante-quatre pays sont représentés ; des jeunes provenant du monde entier qui parlent toutes les langues visitent aussi la ville Lumière (c'est le nom que l'on donne à la ville de Paris) avant de se confronter sur les terrains de football. Pour la première fois, des enfants pourront gagner la célèbre Coupe de Cristal. Tant et tant de folies ont entouré la quête de cette précieuse Coupe. Il suffit de retourner seulement un an en arrière pour comprendre tout l'intérêt qui entoure cette compétition mondiale de football pour enfants. En effet, il y a un an, éclatait le plus grand des scandales sportifs. Bien avant la tenue de ce tournoi, les médias du monde entier ont rapporté, pendant des semaines, des histoires noires entourant le football professionnel.

La Coupe des Coupes, la Coupe de Cristal, remise à tous les quatre ans à l'équipe par excellence du sport le plus populaire au monde, le football, ne pourra plus être gagnée par les adultes.

L'OMF (L'Organisation Mondiale du Football), aidée et conseillée par l'Organisation des Nations Unies (ONU), vient de déterrer une sordide affaire de matchs qui auraient été arrangés. L'Organisation Mondiale du Football a pris la décision d'enlever le titre de champions du monde à tous les vainqueurs des dernières années. Dans un geste théâtral, les autorités policières sont allées chercher la célèbre Coupe dans les bureaux de l'OMF à Zurich en Suisse. Cette Coupe, qui a toujours fait l'objet d'un culte mythique, devient maintenant encore plus protégée que jamais. Depuis le début de son histoire qui semble mener à la nuit des temps, personne n'a le droit de lui toucher ou même de l'approcher de trop près, à moins de l'avoir gagnée. Selon la légende qui l'entoure, cette Coupe procure des pouvoirs vraiment mystérieux. La Coupe, jusqu'à nouvel ordre, sera gardée dans les bureaux de l'ONU, à Genève en Suisse.

Des milliers de supporters en colère ont tenté d'empêcher ce sacrilège.

— Quel scandale !

— Cual escándalo !

— Welcher Skandal !

— какой скандал

Tous les quotidiens du monde, qu'ils soient espagnols, allemands, russes ou autres, remplissaient leur une de cet incroyable scandale. Les champions du monde et plusieurs autres équipes sont accusés à la face du monde d'avoir soudoyé les arbitres pour au moins trois de leurs parties lors de la dernière compétition. Les preuves s'accumulent et personne n'est épargné dans cet immense scandale. Plusieurs pays sont en cause et des manœuvres semblables ont été menées par au moins une dizaine de pays lors de matchs importants.

La honte frappe des centaines de millions de personnes à travers le monde et, partout, c'est la consternation. Des adultes responsables sont accusés dans presque tous les pays de l'élite du sport le plus populaire du monde. Pour s'accaparer de la précieuse et mythique Coupe de Cristal, des hommes ont menti, corrompu d'autres hommes et terni peut-être à jamais l'image du football.

Une résolution a alors été votée à l'unanimité lors d'une réunion tenue à l'Organisation des Nations Unies (ONU), à laquelle participaient l'OMF et des représentants de plusieurs pays du monde.

— La planète football tremble. L'ONU, dans une décision courageuse, a décidé de retirer ou de suspendre tous les matchs préparatoires au prochain tournoi mondial. La célèbre Coupe de Cristal a été retirée des mains des champions en titre. Pire encore, cette Coupe mythique est retirée à jamais de cette compétition.

Le scandale est si grand que dans au moins dix capitales, des manifestations monstres ont été organisées marquant davantage la tristesse que la colère. À Rome, Sao Paulo, Paris, Amsterdam, Londres, Moscou et Tokyo, entre autres, des centaines de milliers de supporters ont marché en silence dans les rues de ces villes où jadis, la Coupe de Cristal a déjà été portée en triomphe.

Dans un geste de réconciliation applaudi de tout le monde, sans exception, l'ONU et l'OMF ont décidé, il y a de cela quelques mois à peine, de remettre cette Coupe de Cristal aux enfants âgés de douze ans et moins.

Voilà ce qui a donné tant d'importance à la sélection de Martin Allart pour représenter le Canada. Tous les pays se sont donnés des objectifs grandioses autour de ce qui est maintenant devenu le plus grand des tournois sportifs du monde : le *Mundial du football* chez les douze ans et moins.

À chaque année, se déroulait déjà à Paris une coupe du monde de football chez les douze ans et moins. Cette année, pour la première fois de l'histoire, le pays vainqueur se verra remettre la célèbre Coupe de Cristal.

— Il faut rebâtir ce monde par la base, de s'exclamer monsieur Ararat, responsable à l'ONU de ce dossier chaud. Si certaines personnes du monde des adultes sont corrompues, si certains joueurs parmi les meilleurs ne peuvent plus représenter des idéaux d'esprit sportif, nous allons concerter tous nos efforts pour redonner à ce sport ses lettres de noblesse. Le football ne pourra se relever que si les jeunes y ramènent l'esprit d'une saine compétition.

Tous les grands organisateurs de football du monde entier ont parlé depuis cette annonce de ce tournoi à Paris. Tout le monde attend tant de bienfaits de cet événement sportif mondial.

Une idée de génie est apparue. Et la popularité du football reprend de sa force. Il a été décidé par les plus hautes autorités que la Coupe de Cristal voyagerait à travers le monde lors d'une tournée spéciale. La Coupe de Cristal, protégée comme s'il s'agissait d'un cœur qui bat, voyage à travers les cinq continents depuis trois cents jours. Les jeunes sportifs âgés de douze ans et moins ont la priorité. Ils peuvent voir la célèbre Coupe avant tout le monde. Avec tous les scandales qui éclatent partout, voilà enfin une source de positivisme.

Les préparatifs dans chaque pays et la tournée de la Coupe allaient bon train jusqu'à ce que se produise en Égypte une affaire mystérieuse. Les journaux du monde entier ont rapporté en long et en large la disparition des jeunes Canadiens et des deux petits Égyptiens lors de leur camp d'entraînement en Égypte. Cette affaire a failli faire perdre le travail fantastique qui venait d'être effectué par tous les gens qui s'affairent à redonner une belle réputation au football. Le tournoi a failli être annulé.

Heureusement pour eux (et pour la tenue du tournoi), les jeunes ont été retrouvés. Nick, Martin, Béatrice, Mahmoud et Mohamed, qui étaient accompagnés de Vladana et de Marc-Olivier Allart, ont révélé qu'ils s'étaient perdus dans des souterrains de la grande pyramide. Ils demandent à tous de comprendre qu'ils ne veulent pas révéler les détails de cette affaire avant la fin du tournoi de football qui se tiendra à Paris. Malgré leurs secrets et les entrevues assez mystérieuses qu'ils ont données, tout cela a permis au football de reprendre vie. D'ailleurs, ils promettent de tout raconter lorsque le tournoi de Paris sera terminé.

Le tournoi de Paris aura donc lieu et tout le monde en est ravi. Car tous veulent rebâtir la crédibilité de ce sport pratiqué par plus de deux cent soixante millions de personnes à travers le monde.

CHAPITRE 2

Les croissants

Martin aimerait tant arrêter le temps. Il voudrait pouvoir continuer sa visite de Paris pendant des jours.

— Vladana, regarde, une autre boulangerie !

Béatrice, habituellement peu gourmande, n'en revient pas.

— Tout est si bon, ici ! Si beau et si bon !

— Vladana, puis-je aller manger un autre croissant ? demande Nick.

— Oui, oui, laissez-vous aller ! dit Vladana.

Béatrice marche d'un bon pas, suivie de Nick qui court pour la dépasser. Ils adorent Paris et il faut bien le dire, ils adorent les gâteries que cette ville offre partout. Martin sourit et fait un clin d'œil à Vladana en partant les rejoindre. Mais elle lui saisit le bras :

— Viens, Martin. Il y a quelqu'un qui veut te voir !

Vladana se dirige vers un homme vêtu à la manière d'un clochard ! C'est Marco.

— Papa ?

— Martin, je suis content de te voir !

Ils se serrent très fort.

— Je suis désolé, papa, de tout ce que les gens pensent à propos de toi ! Ils te prennent pour celui qui nous a enlevés !

— C'est normal. J'ai d'ailleurs fait beaucoup de choses étranges dans ma vie. Et je n'ai jamais pu t'en expliquer vraiment la raison ! Mais là, je vais pouvoir t'aider à tout comprendre. Va chercher tes amis et venez avec moi !

Nick et Béatrice reviennent avec un kilo en plus dans le ventre et deux ou trois bouts de pâtisseries dans les poches. Pendant qu'ils courent rejoindre leurs amis en riant, ils n'aperçoivent pas Rohman tapi sous une cape noire qui les surveille.

Dans une petite ruelle où Vladana et Martin les entraînent, Nick et Béatrice se retrouvent face à face avec Marco. Celui-ci les entraîne rapidement au bout de la ruelle.

Il les aide à franchir un petit bosquet. De là, sans dire un mot, il les fait entrer dans l'arrière-cour d'une maisonnette qui les mène de l'autre côté, sur le bord de la Seine. Puis, il les invite à courir à vive allure en direction d'un pont.

Rendus-là, Marco leur demande de se cacher, derrière un pilier du pont qui s'appelle le Pont-Royal. Il sort une petite boîte remplie de gâteries.

— Tenez, je vous ai suivis depuis votre arrivée à Paris, je pense que vous aimerez ! Pendant que vous dévorez, je vais vous expliquer la situation. Rohman me cherche partout. Il est à bout de nerfs et très dangereux. Cachez-vous vite !

Rohman vient de déboucher derrière la petite maisonnette. Au bout d'un moment, ne voyant personne, il repart vers une rue transversale, à la poursuite de Marco.

— Rapidement, j'ai le temps de vous montrer quelque chose !

Marco les entraîne un peu plus loin sous le Pont-Royal qui semble illuminé d'une lumière toute spéciale, aujourd'hui. À l'ombre du pont, il soulève une grosse pierre puis une deuxième.

— Je connaissais cet endroit pour avoir déjà vécu un an ici, à Paris. Un ami m'avait montré cette cachette qui avait servi à sauver des vies lors de l'occupation allemande pendant la deuxième guerre mondiale. Voilà ! Regardez ce que j'ai repris à Rohman.

Marco s'étire les bras et ressort la boule de feu que Rohman avait subtilisée dans le Phare d'Alexandrie.

— Tu l'as reprise ?

— Martin, tu vas remporter la Coupe de Cristal. Avec cette boule de feu en plus, tout pourra recommencer à neuf pour tous les humains sur Terre. Martin, Nick, Béatrice, Vladana, si nous réussissons, les guerres seront bel et bien terminées. Tenez, cette boule est à vous. Pour ma part, je vais continuer à attirer Rohman ; je vais l'attirer loin de vous. Cette boule de feu contient tout l'univers. Tout ce qu'on veut savoir y est inscrit. Tout ce qu'on désire y est déjà.

Marco sort de leur cachette pour essayer de voir où se trouve Rohman. L'apercevant soudain, il saute à l'eau en faisant semblant de dissimuler une boule sous son bras. Puis, il nage vers l'autre rive de la Seine. Rohman grimpe sur le pont et traverse lentement la Seine en riant aux éclats.

— Les amis, dit Vladana, Marco veut nous donner tout le temps de bâtir un plan car le temps est arrivé. Il faut que vous sachiez tout ce qui entoure le secret de la Coupe de Cristal. Pendant que Rohman poursuit le père de Martin qu'il connaît depuis des milliers d'années, je vais tout vous expliquer ! Rendons-nous d'abord en lieu sûr !

Vladana ferme les yeux et tient délicatement la boule de feu au bout de ses deux mains en récitant tout bas un petit poème en une langue inconnue. La boule se transforme alors en sphinx.

— Je pense que le temps est arrivé, dit le sphinx, l'homme-lion.

Le sphinx souffle et installe tout autour du petit groupe un écran de fumée sur laquelle des images apparaissent et disparaissent.

— La Coupe de Cristal existe depuis des temps immémoriaux ! dit–il.

Des images se succèdent ; Nick, Martin et Béatrice se préparent à plonger dans des histoires très anciennes.

* * *

Dans tout Paris, des affiches publicisent le tournoi mondial de football. Pour marquer l'imagination des spectateurs et des supporters, les organisateurs, ayant mis sur pieds la tournée mondiale de la Coupe de Cristal, ont décidé que la Coupe arriverait à Paris la veille du tournoi. Le monde entier est convié à la cérémonie d'accueil de cette précieuse Coupe.

Dix-huit gardes armés sont assignés depuis un an déjà à assurer à tour de rôle la protection de la Coupe de Cristal. Mis à part Rohman, il y a, paraît-il, beaucoup de gens qui désirent la voler et se l'approprier de façon malhonnête. Il y a eu, au fil des quatre dernières années, pas moins de quatorze tentatives d'attentat dont l'objet consistait à prendre possession de la Coupe tant convoitée.

Selon les experts, cette folie autour de la Coupe est devenue incompréhensible.

— Comment expliquer que des gens puissent souhaiter mettre la main sur un objet qui vous assure de subir la plus dangereuse malédiction qui soit ?

En effet, les reportages pullulent sur toutes les chaines de télévision du monde concernant l'histoire presque maléfique entourant ceux qui possèdent la Coupe de Cristal. Cette Coupe serait apparue pour la première fois, paraît-il, en Égypte, il y a plus de six mille ans. Certains affirment même que ce sont les dieux qui auraient donné cette précieuse Coupe aux humains pour les inviter à freiner leurs instincts guerriers. Seules quelques personnes connaissent la vraie histoire de la Coupe : Vladana, Baktush et Rohman, entre autres, en savent beaucoup à ce sujet.

Sous le Pont-Royal, le sphinx continue à souffler et à souffler pour installer un mur de brume. Tout autour de Martin, Nick, Béatrice, Vladana et de l'homme-lion, des images se précisent enfin, des sons et une histoire fantastique leur est racontée par des dizaines et des dizaines d'anges qui, à tour de rôles, deviennent narrateurs de ce récit qui bouleversera tout le déroulement de la semaine de compétition.

Au départ, affirment les anges tous en chœur, la Coupe de Cristal ne sortait jamais de l'endroit où elle avait été forgée par le sphinx, l'homme-lion lui-même, pour tenter de déjouer Osiris, le dieu de la mort. La Coupe de Cristal était en fait un antidote pour les condamnés à mort et qu'on espérait ainsi ramener à la vie. Le sphinx avait forgé et sculpté dans la matière la plus pure qui soit, le cristal, un grand réceptacle sphérique. Il suffisait d'y verser de l'eau, ne fut-ce que durant une seconde, pour que ce liquide béni devienne alors source d'immortalité. Le sphinx, pour forger sa Coupe magnifique, avait utilisé la boule de feu appartenant à Osiris sans que le puissant dieu de la mort ne le sache. Le sphinx avait agi alors qu'Osiris escortait les morts jusqu'au plus profond des enfers.

Il avait patiemment forgé la plus belle Coupe qui soit. Croyant depuis toujours aux humains, le sphinx ne voulait plus les voir mourir de maladie, d'accident ou tout simplement de vieillesse. Il avait donc l'intention de donner cette Coupe à un Terrien ou à une Terrienne qui aurait la capacité de supporter la force, la chaleur et la puissance que dégageait la Coupe. Selon la légende, il l'offrit à une femme inconnue qui avait fait construire le temple où Osiris reçoit maintenant les morts.

Cette femme est Vladana. Elle décida alors d'apporter cette Coupe sur la Terre dans l'espoir que tous les hommes pourraient ainsi vaincre la mort.

Quand Osiris s'aperçut de cela, il se mit dans une colère terrible. Il lança tous ses fantômes, tous les morts de l'histoire de l'humanité à l'assaut de ceux qui voulaient s'approprier le pouvoir de la Coupe. Il promettait à tous les vivants des richesses infinies en échange de cette Coupe qu'il voulait détruire à jamais dans son feu destructeur.

Ainsi pendant mille ans, tous les humains ayant bu de l'eau à même cette Coupe, sont morts en moins de deux heures. Depuis toujours, Osiris craint l'homme-lion, le seul dieu qui unit les hommes et les dieux. Le sphinx essaya tout de même de convaincre Osiris de cesser de faire souffrir inutilement les humains.

Osiris se mit encore une fois dans une colère qui fit trembler la Terre durant cinq cents ans. Des guerres horribles jaillirent sur toute la surface de la Terre et personne ne trouvait aucun moyen pour réparer les injustices et ramener à la vie de pauvres innocentes victimes de barbarie.

Puis, après un autre deux cent cinquante ans de guerres horribles, le sphinx proposa une trêve à Osiris.

— Osiris, dit le sphinx, je suggère une nouvelle forme de guerre que j'ai proposée à nos deux peuples voisins !

— Homme-lion, dit Osiris, d'accord pour la trêve mais à une condition ; quiconque réussira à vaincre par les armes tous ses ennemis et qui fait preuve de courage et de persévérance, se verra remettre la Coupe de Cristal.

— Au lieu de s'entretuer toutefois, dit le sphinx, les guerriers devront plutôt jouer à un jeu avec une boule de feu.

— Les perdants mourront ?

— Pas nécessairement. L'important est d'informer les participants à l'effet que les gagnants seront sous ma protection !

Le sphinx a alors proposé un jeu qui s'apparente au football. Une boule de cristal forgée par le sphinx servit en tant que premier ballon rond. Vladana reçut la mission de trouver un brave homme qui serait prêt à convaincre les humains de changer le monde de cette façon.

— Vladana, tu as réussi à entrer dans le temple d'Osiris et tu as gagné l'immortalité grâce à ta grande dévotion envers le pharaon mais aussi envers tous les êtres humains. Maintenant, j'aimerais que cessent une fois pour toutes les guerres que se livrent les hommes sur la Terre, dit le sphinx. Ces guerres infinies empêchent les hommes de découvrir leurs forces ainsi que les beautés et les richesses qui sont disponibles pour eux. Je propose un jeu, le jeu le plus simple qui soit qui remplacera toutes les guerres entre les nations.

L'homme-lion a alors expliqué à Vladana les premières bases du football.

— Trouve l'homme le plus habile sur la Terre et partage-lui les rudiments de ce jeu. Reviens ici avec lui car un cadeau l'attend !

Vladana parcourt donc le monde en bateau, à pieds et à dos de chameau à la recherche d'un homme au cœur pur et au corps d'athlète. Le sphinx lui a même donné la permission et les moyens de voyager à travers les époques.

— Vladana, tu es immortelle maintenant. Je vais te montrer le plus grand des secrets de ton monde. Tu pourras emprunter des couloirs de cristal. Je te donne deux ailes d'ange toutes blanches. Avec ces ailes, tu peux découvrir des mondes à l'infini. Tout est possible pour toi. Trouve cet homme, peu importe où il se cache. Vit-il au temps des dinosaures ? Bien avant ta naissance ? Dans le futur lointain où les hommes voleront dans le ciel ? Pour moi, le temps n'existe pas. Et pour toi non plus, désormais. Alors, cherche cet homme précieux et ramène-le !

Vladana a donc rencontré les hommes et les femmes les plus habiles et les plus forts du monde. Elle a parcouru toutes les époques et a découvert des civilisations fantastiques. Mais jamais elle n'a trouvé de peuples qui vivaient en paix avec son entourage. C'est en Égypte qu'elle a trouvé Baktush Amar, un serviteur auprès d'un des hommes les plus puissants du monde, le roi de la Basse-Égypte, Narmer.

Vladana lui a proposé le pacte des dieux :

— Baktush, je m'appelle Vladana, je suis envoyée par les dieux. Le sphinx te donne ce ballon. Si tu veux l'utiliser, il t'offrira un cadeau inestimable.

Vladana lui expliqua le plan du sphinx. Cela correspondait exactement à ce que Baktush avait toujours voulu vivre. Au lieu des tueries, il préférait de loin développer un jeu.

En ce temps-là, l'Égypte se divise en deux grands royaumes : la Basse-Égypte et la Haute-Égypte. Chaque royaume est dirigé par un roi qui veut absolument conquérir le royaume de l'autre. Il y a de cela plus de six mille ans, le roi Narmer reçut donc un matin béni, la visite d'un de ses serviteurs. Dans ses mains, cet homme portait une étrange sphère de cristal.

Narmer tient en haute estime ce serviteur qui s'appelle Baktush. Il est à la fois l'homme le plus fort de la Basse-Égypte et le plus sage. Mais Narmer persiste sans arrêt à entraîner Baktush dans son processus guerrier.

— Baktush, ne joue pas avec de petits ballons ronds. Cesse de faire l'enfant. Je te nomme d'ailleurs à l'instant présent, général de mes armées. J'ai confiance en toi. Je te confie un secret. L'Égypte devrait être unifié. Je possède les armées les plus puissantes de la Terre. Si tu entraînes nos soldats à devenir invincibles comme tu es toi-même devenu, nous réunirons les deux parties de l'Égypte et je pourrai diriger une nouvelle dynastie. Je serai le premier pharaon suprême, roi de l'univers !

Baktush était extrêmement mal à l'aise. Il ne pouvait rien refuser à son roi mais il ne se résignait pas à aller tuer tous ces gens pour conquérir le monde. Il aurait tant aimé pouvoir aider à construire un pays d'une autre façon qu'en exterminant une population.

— Mon roi, je ne pourrai pas mener cette campagne de guerre avec vous et je n'irai pas tuer nos compatriotes de la Haute-Égypte.

Namer, le roi de la Basse-Égypte, entra dans une colère terrible mais il ne se résigna pas à emprisonner l'homme le plus fort du monde. Il lui demanda plutôt de réfléchir :

— Baktush, je pourrais te détruire en une fraction de seconde. Je pourrais te faire attacher pour que mes aigles te mangent les yeux. Mais j'apprécie ta franchise et ton courage. Je réitère mon ordre, tu combattras à mes côtés ! Tu disposes donc de deux semaines pour trouver un plan. Tu es maintenant le chef de mes armées ! Je veux que tu me partages ton plan d'attaque à la levée du jour, dans quatorze jours !

Baktush, aidé de Vladana, inventa alors les rudiments du football. Il réunit pendant deux semaines les meilleurs athlètes de son armée pour leur montrer à jouer au football. Les règles étaient très simples : deux équipes, deux buts, un ballon. Le but du jeu ? Mettre le ballon dans le but de l'équipe adverse. Tout était permis pour y arriver.

Ce fut le premier entraînement de football de l'histoire de l'humanité. Dans ce camp de préparation, Baktush avait divisé les équipes comme suit :

Mille deux cent quarante-cinq joueurs de chaque côté et un terrain de jeu de la grandeur de la ville de Paris. Des boisés, des rochers, des lacs, des rivières, des trous, des maisons... partout, des obstacles jonchaient le terrain, sauf des armes que Baktush avait interdites pour pratiquer ce jeu.

Au bout de deux semaines, Baktush était heureux comme jamais il ne l'avait été. Enfin, le rêve de sa vie se réalisait. Le grand pays d'Égypte prendra forme sans guerre et sans tuerie. Vladana, qui avait vu tant de peuples se détruire, était inquiète : « Baktush saura-t-il convaincre le monarque suprême ? » se demandait-elle.

Namer accueillit Baktush avec grand plaisir. Ses espions l'avaient informé de l'entraînement rigoureux que ce dernier avait exigé de ses hommes.

— Baktush, je suis fier de t'avoir vu changer d'idée. Tu as rendu mes hommes meilleurs. Ton drôle de jeu a plu à tout le monde. C'est un bon entraînement à la guerre. Ils sont heureux, tu es heureux, je suis heureux car avec toi et mon armée, nous pourrons conquérir le monde en une journée !

Baktush, voyant que le roi n'avait rien compris de ses intentions, perdit le sourire.

— Mon roi, je n'ai pas peur de mourir et je n'ai qu'une parole. Tuez-moi tout de suite ou écoutez ma proposition !

Namer était inquiet ! Son homme de confiance avait-il uni ses efforts avec l'ennemi ? Ses espions lui avaient rapporté qu'il était aussi allé partager les secrets de son jeu au roi et aux soldats de l'ennemi.

— Tu as communiqué des secrets militaires à la Haute-Égypte !

— L'ennemi deviendra l'ami, voilà mon plan ! dit Baktush. Les deux armées au complet s'affronteront à mon jeu qui s'appelle le ballon de cristal. Le gagnant, celui qui marquera un but, verra son roi monter sur le trône !

— Par un simple but, je perdrais tout un royaume alors qu'avec la guerre, je serais aisément le vainqueur ? Tu es fou, Baktush !

— Peut-être ! Mais les dieux sont avec moi et voilà ce que je vous propose. J'ai entraîné tous nos soldats à ce jeu ! Certains sont déjà très bons à ce jeu !

— J'accepte !

— Oui ? dit Baktush, extrêmement surpris de la réaction du monarque.

Narmer avait un plan diabolique.

— J'accepte mais à une condition : tu seras le capitaine de mon équipe ! Si l'équipe perd, alors tu meurs !

Baktush accepte le défi ! Il est prêt à risquer sa vie pour substituer une guerre en match de ballon de cristal (ou de football comme on l'appelle aujourd'hui), le premier de l'histoire de l'humanité.

L'homme-lion travailla des heures et des heures au milieu du feu pour forger une Coupe qui sera remise au nouveau roi d'Égypte. Il y mit tant d'amour et de luminosité que cette Coupe posséda dès son origine un pouvoir d'immortalité.

— Baktush, voici la Coupe de Cristal qui sera remise à l'équipe gagnante. Cette Coupe représente la paix entre les peuples, annonça fièrement le sphinx. Quiconque respecte les règles de bonne entente du jeu, profitera des bienfaits de cette Coupe. Tous ceux qui y toucheront en cherchant la paix recevront la vie éternelle !

Osiris entendit cela et ne fut pas content. Selon lui, dieu de la mort, ce qui se déroulait ne faisait aucun sens à ses yeux. Avec cette Coupe et cette paix, plus personne ne traversera vers le Royaume des morts, là où il exprime toute sa puissance. Il décida de rencontrer le frère de Baktush, Rohman Amar, né avec un visage de monstre. Sa mère était morte des suites de son accouchement, attaquée au même moment par les soldats du roi de la Haute-Égypte. Le petit était resté en vie grâce à l'intervention de Baktush, son grand frère, qui s'était battu contre mille attaquants. Par malheur, il n'avait pas pu sauvé ses parents. Le bébé Rohman avait été horriblement mutilé mais il avait été sauvé d'une mort certaine.

En vieillissant, Rohman prenait de plus en plus l'apparence d'une bête, voire même d'un lézard. Les gens le fuyaient et le détestaient parce que son esprit semblait tordu comme son image. Très jeune, sentant qu'il était haï, il changea d'allégeance et partit combattre avec le royaume ennemi. Il aimait la guerre. C'est donc avec plaisir qu'il combattait son frère, chef de l'armée du roi Namer.

Osiris communiqua avec Rohman. Il lui promit toutes les richesses du monde s'il parvenait à tuer le roi Namer et Baktush.

— Ces deux hommes seront très célèbres, dit Osiris, dans mon royaume des morts ! Rohman, continua-t-il, la Coupe de Cristal t'appartient si tu réussis l'exploit de les vaincre à leur jeu stupide ! Si la Coupe vient entre nos mains, les malédictions pleuvront sur tous et les morts me visiteront par millions. Tu seras mon bras droit, mon maître de la mort. Tu pourras mourir autant de fois que tu le voudras mais je te redonnerai la vie afin que tu nourrisses mon royaume.

Le match débuta un lundi du mois d'août. Les deux capitaines étaient les deux frères Baktush et Rohman Amar. Au début de la joute, les deux armées s'affrontèrent à mains et à pieds nus tel que prévu. Rapidement, grâce à l'habileté grandiose de Baktush, son équipe réussit à amener le ballon de cristal jusqu'à un mètre du but adverse. La victoire était dans la poche puis, tout bascula. Rohman ordonna à tous de sortir des armes. Les règles furent bafouées. Le carnage fut terrible. Il y eut plus de quatorze mille morts.

Baktush ne voulut pas participer à cette bataille sanglante. Pendant que tout le monde s'entretuait, il jonglait avec son ballon de cristal. Rohman se positionna devant lui, une épée tachée de sang entre les mains.

— Grand frère, dit Rohman, je te félicite pour ton invention. Ton jeu du ballon de cristal est vraiment amusant.

Baktush remarqua que la guerre rendait son frère encore plus laid et repoussant. Les animaux et les bêtes sauvages s'approchaient naturellement de lui. Ils le reconnaissaient déjà comme un des leurs. Un loup vint lui lécher la main, des hyènes s'agglutinaient autour de lui, la gueule dégoulinante. Des milliers de bêtes rampantes (des serpents et des lézards, surtout) le protégeaient et l'admiraient. Déjà, Rohman avait des alliés sauvages. Un lion s'avança et se positionna entre les deux.

Rohman repoussa de la main la puissante bête sauvage et brandit son épée pour détruire à jamais la quête de paix et d'harmonie de son frère. Mais Baktush n'allait pas se laisser tuer de la sorte. Au moment où le combat allait s'engager, le lion se transforma en homme-lion et les deux hommes furent projetés haut dans les airs à plus de dix mètres plus loin. Le ballon de cristal virevolta très haut puis retomba entre les mains du sphinx, le dieu le plus puissant de l'univers.

— Baktush, Rohman, approchez-vous ! leur ordonna l'homme-lion.

Les deux hommes respiraient péniblement. Ils rampèrent l'un vers l'autre. Plus aucune idée guerrière ne parvenait à leur cerveau. Autour d'eux toutefois, la folie meurtrière continuait à faire rage. Le simple match de football venait d'être transformé en guerre horrible.

— Baktush, dit l'homme-lion, ta tentative de réunir les deux peuples de façon pacifique, malgré un bel effort, est un échec total. J'étais prêt à vous donner personnellement la précieuse Coupe fabriquée à partir du cristal éternel qui existe dans le monde de paix des dieux et qui aurait pu exister aussi sur Terre.

L'homme-lion verse alors sur le sol une goutte d'eau d'une petite gourde qu'il porte à sa ceinture. Une flaque de cristal se forme sur le sable. L'homme-lion, le sphinx lui-même, passe sa main à travers le cristal et en ressort la magnifique Coupe de Cristal.

— Cette Coupe, je l'ai forgée moi-même. Tous les dieux de tout l'univers et tous les êtres éternels ont participé à la confection de cette Coupe avec moi. Dans l'au-delà, c'était l'unanimité. Même Osiris avait accepté de vous mettre au défi ; si vous aviez réussi à faire la paix entre les deux peuples les plus puissants de la Terre, vous auriez eu droit à cette Coupe qui peut donner la vie éternelle à tous.

Baktush est vraiment déçu, tout ce qu'il avait voulu réussir s'envolait en fumée. Pourtant, il s'était rendu si près du but. Pourquoi les hommes veulent-ils tout détruire ?

— Pourquoi même mon frère veut-il ma mort ? Est-ce à cause de sa laideur ?

Un lézard grimpa sur sa jambe et Baktush ressentit un profond dégoût au fond de lui. En un réflexe terrible, il manifesta toute sa force et tua la bête qui cherchait à le mordre. Une goutte de son sang coula jusqu'à la Coupe de Cristal.

L'homme-lion tendit alors la Coupe de Cristal très haut dans les airs et déclama au monde entier :

— Cette Coupe de Cristal, forgée avec amour par tous les êtres de tous les mondes éternels, est maintenant tachée du sang de la mort. Baktush Amar, tu devras poursuivre sans arrêt à travers des milliers d'années ta quête d'harmonie universelle. Un jour, après des millions de tentatives, ce match de football reprendra et, peut-être alors que tous les hommes décideront de cesser la course à la destruction. Cette Coupe appartient aux hommes et tu en es le gardien sur Terre !

Baktush se penche pour la recevoir mais l'homme-lion se retourne alors vers Rohman et lui dit :

— Rohman, tu as été créé libre. Ta laideur repoussante ne t'enlève en rien ta destinée. Cette Coupe t'appartient aussi. Tu as décidé de mener d'autres hommes à la quête du pouvoir suprême. Tu veux mener une lutte à finir aux dieux alors, comme il te plaira. Cette Coupe peut te procurer la vie éternelle et t'octroyer tous les pouvoirs de l'univers. Les dieux ne reviennent jamais sur leur parole. Nous avons donc décidé de vous offrir cette Coupe et nous ne pouvons pas la reprendre. La lutte ne se terminera jamais avant que les hommes n'aient décidé. Rohman, sache que je détiens le pouvoir de ne pas te donner la vie éternelle mais je vais te protéger et te redonner mille vies pour que cette question soit réglée. Mille vies, pas une de plus et pas une de moins. C'est écrit ! Baktush et Rohman, vous êtes maintenant tous les deux possesseurs et défenseurs de cette Coupe. Vous devrez vous entendre et le monde vous suivra.

L'homme-lion dépose la Coupe de Cristal entre les deux hommes qui l'observent avec admiration et envie.

Du monde de cristal, le sphinx fait surgir un petit temple d'or. D'un simple souffle, il le fait voler au-dessus de la Coupe de Cristal. Le petit temple brille comme le soleil.

— Voici une réplique du temple dédié à Osiris. C'est le temple de la mort. Il vous appartient de l'admirer ou de le détruire. Ce temple n'est pas encore construit sur Terre mais il existe déjà au-delà du monde de cristal. C'est le dieu des morts, Osiris, qui y accueille tous les hommes. Une boule de feu y brûle depuis toujours et pour toujours. À vous de trouver une façon de vous y rendre. Voici donc la clef qui mènera tous les hommes vers l'éternité.

Rohman s'accroche au temple pour se l'approprier. Baktush fait de même. Dans les yeux de l'homme-lion, des éclairs tournoient. De sa bouche, des mots prononcés ressemblent à du tonnerre :

— LES HOMMES ONT CHOISI LA GUERRE ET LA DIVISION. LA FURIE DES DIEUX SERA TERRIBLE. TOUT EST À REFAIRE. TOUT EST ENTRE VOS MAINS !

Une tempête digne des plus grands ouragans se lève, le sable entre dans les oreilles et dans les yeux des hommes. Baktush ne veut pas laisser tomber le temple et Rohman lance ses lézards à l'assaut des jambes de son frère pour qu'il lâche prise. La lutte est terrible. L'homme-lion prend la boule de feu et la dépose au-dessus de la superbe Coupe. Il déclare très fort :

— CETTE COUPE RENDRA LES HOMMES ÉGAUX AUX DIEUX, ÉTERNELS ET INVINCIBLES. PUISSE LA LUTTE ENTRE LA PAIX ET LA GUERRE TROUVER UNE SOLUTION !

Le sphinx s'approche des deux hommes qui se disputent toujours le temple. D'un seul doigt, le dieu suprême tranche en deux le temple miniature et la tempête rugit si fort que tout est enterré et projeté dans mille directions.

La Coupe de Cristal retombe sur le sable et n'est découverte que bien des années plus tard, disent les anges en écho avant de disparaître de l'écran circulaire sous le Pont-Royal à Paris.

Quand Béatrice, Vladana, Martin et Nick voient le voile et la brume se dissiper, ils se retrouvent face à face avec Baktush qui porte la boule de feu entre ses mains. Le sphinx et les anges ont disparu.

— Vous comprenez, maintenant ?

— Tu es éternel, papa ?

— Martin, il y en aura bien d'autres si quelqu'un est prêt à croire à cette histoire. Le monde est prêt, je crois. Le football pourra servir à nouveau. Tenez, je vous laisse la boule de feu. Elle possède les mêmes propriétés que le temple d'Osiris miniature. Elle vous permettra entre autres de communiquer avec tout le monde dans toutes les langues.

Bonne chance. On se revoit bientôt! Très bientôt! Martin quand tu veux me voir, tu viens ici, sous le Pont-Royal, c'est le pont des dieux et j'y serai!

Baktush Amar, fier d'avoir enfin pu partager l'histoire de son destin, espère que son fils et ses amis l'appuieront dans son plan ultime.

CHAPITRE 3

Le plus grand des tournois de foot

Au Parc des Princes, les préparatifs vont bon train. Plus de trois mille bénévoles travaillent depuis des mois pour aider à l'organisation de cette grande compétition. Ce qui, au début, ne devait être qu'un rendez-vous sportif amical, est finalement devenu un événement aussi gros que les Jeux Olympiques. La popularité du football, la rivalité entre les différents pays, le scandale politique et sportif que tout cela a soulevé, autant de choses qui ont rendu cet événement plus grandiose qu'attendu.

Les enfants du monde entier vont se disputer la Coupe des Coupes, la Coupe suprême, la Coupe de Cristal.

Martin est heureux comme un roi, comme un pharaon, devrait-on dire, car très bientôt, dans quelques heures à peine, il pourra voir cet objet magique. Il espère bien entendu qu'après six jours de compétition et après avoir disputé dix matchs, son équipe sortira championne de ce tournoi.

Nick, en voyant que Martin est perdu dans ses pensées, pose sa main froide sur l'épaule de son ami. Martin se retourne et en regardant ses fidèles compagnons, Béatrice, Nick et Vladana, il leur déclare avec assurance :

— Je pense qu'on y arrivera ! Je pense qu'on gagnera la Coupe !

Jamais Martin n'avait autant voulu gagner une compétition. Depuis sa plus tendre enfance, il avait pourtant gagné tant de trophées et de médailles que sa mère avait dû transformer des pièces entières uniquement pour ranger le fruit de ses exploits. À trois ans déjà, il jouait avec des joueurs âgés de neuf ans et il était le meilleur. Sa technique et son intelligence du jeu s'étaient développées d'une façon innée, semble-t-il, et tout le monde restait en admiration devant son talent, sa passion et son sens du jeu.

Son père, Marc-Olivier, alias Baktush Amar, est aussi responsable de ce bagage génétique parfait pour un joueur de football. Maintenant, Martin sait cela. Dans sa tête et dans celles de ses amis, se forment des plans qui leur permettront de convaincre tous les pays de laisser les guerres de côté. Pourquoi pas ?

Baktush Amar espère de tout son cœur que son fils suivra ses traces. La balle est dans son camp, ou le ballon pourrait-on dire. Il a tout misé sur lui. Aura-t-il le courage à son jeune âge de porter le poids du monde sur ses épaules ? Sa lutte avec son frère l'a toutefois empêché de réussir sa mission. Au fil des siècles, ils ont mené une lutte sans merci l'un contre l'autre. Baktush a toujours essayé d'éliminer la haine en essayant de partager avec tout le monde son amour du football. Il a vécu dans tant de pays et avec tant de passion qu'il a réussi à partager avec beaucoup d'humains son amour du football, de la paix et de l'harmonie. Comme Vladana, il a dû fuir et changer maintes fois d'identité car des hommes, guidés par son frère, ont tenté de s'approprier ses pouvoirs.

Il y a de cela à peine vingt ans, il a recommencé à vivre en Égypte, dans le pays qu'il aime tant. En voyant que le football devenait de plus en plus populaire dans le monde, il a recommencé à rêver. Avec plus de six mille ans de pratique, il est rapidement devenu le meilleur joueur du pays. À sa grande surprise, au lieu de ramener la paix, ses talents ont attiré la jalousie. Alors que ses intentions étaient de partager son savoir avec tout le monde, on a voulu s'en servir pour prouver au monde entier que l'Égypte était le meilleur pays du monde. La folie a monté un peu partout dans le monde autour du football et au lieu de rester un jeu et une façon de communiquer avec les ennemis, les amis ou les étrangers, le football est devenu une véritable folie. Même sans son frère Rohman pour les convaincre, les hommes du monde entier ont transformé ce jeu magnifique en guerre. C'est là que Baktush est venu vivre au Canada et qu'il a rencontré Leïla. Il a voulu oublier toute cette folie. L'amour l'a transformé et il a compris que le temps était venu de mettre fin à ce tourbillon. En secret, il a imaginé un plan: « Je vais retourner dans le désert, trouver le temple d'Osiris et convaincre le dieu de la mort lui-même de cesser ses folies. »

Leïla a tout appris mais la mission que Baktush se donnait l'a effrayée: sauver l'humanité de la mort. Elle est revenue au Québec pour élever son fils Martin qui, à sa grande surprise, l'a replongée dans le monde de son mari avec sa passion pour le football.

Rohman a tenté mille fois de détruire son frère et a souvent eu le dessus. Mais Baktush a mis au point un plan infaillible qui verra sa résolution lors de la finale de Paris. Les enfants représentent donc la solution à cette impasse millénaire. Baktush a décidé d'impliquer les enfants. Il a aidé à faire éclater tous les scandales et a tout misé sur son fils et ses amis. Rohman n'a qu'à bien se tenir.

* * *

Toutes les équipes arrivent au Parc des Princes sous les flashes des milliers de photographes et de journalistes du monde entier. Les jeunes des White Wings et des Sphinx d'Alexandrie arrivent ensemble. Tout le monde veut parler aux jeunes héros, Martin et Mahmoud, qui sont devenus aussi populaires que des vedettes de cinéma. Heureusement, les organisateurs du tournoi ont prévu une protection. Des dizaines de gardes de sécurité les dirigent vers une grande salle où les joueurs des soixante-quatre équipes se retrouvent.

L'atmosphère est à la fête et tous les joueurs viennent s'entretenir avec Martin et Mahmoud que tout le monde connaît maintenant. Monsieur Ararat, directeur en chef de l'organisation de ce *Mundial de football*, s'avance au micro.

— Bonjour tout le monde, dit-il avec un grand sourire, visiblement ému. Je veux seulement vous dire que le football peut redevenir une grande fête. Oui ! Il y aura un vainqueur et oui, il y aura des perdants. Mais ce que je souhaite ardemment, c'est que tout le monde s'amuse. Passons une bonne semaine, d'accord ?

Des traductions simultanées sont diffusées sur de grands écrans si bien que tout le monde est sur la même longueur d'onde. C'est la grande fête du football.

— En tout premier lieu, continue monsieur Ararat, je tiens à souligner la présence ici de Mahmoud et Martin ainsi que de leurs amis Nick, Béatrice et Vladana qui ont finalement été retrouvés en direct à la télé, il y a deux jours.

Les gardes du corps leur indiquent de se diriger vers l'avant, sur la scène. Ils y reçoivent un accueil inoubliable.

— Je me joins à ces cinq disparus, qui heureusement sont réapparus, pour remercier l'appui inconditionnel que les joueurs et les spectateurs de tous les pays du monde ont manifesté à leur endroit.

Les applaudissements fusent. Les gens crient leur joie, la fête est à son comble. Monsieur Ararat se tourne vers le groupe de Martin :

— Maintenant, nous pouvons vivre la véritable fièvre du football. Les matchs du tournoi commencent demain matin à 7 h 30. Soixante-quatre équipes participent au tournoi. Pendant deux jours, il y aura des matchs éliminatoires. Chaque équipe jouera sept matchs sur les nombreux terrains que l'on a aménagés ici et à l'extérieur du stade. Après ce premier tour, plusieurs auront été éliminées et il ne restera que seize équipes. Le tournoi se transformera alors en simple élimination. Nous sommes aujourd'hui lundi.

Alors jeudi, la deuxième partie de ce tournoi mondial débute avec les huitièmes de finale. Vendredi, seront disputés les quarts de finale, samedi les demis alors que dimanche, je convie les spectateurs du monde entier à assister à la GRANDE FINALE DU MUNDIAL CHEZ LES DOUZE ANS ET MOINS.

Un tonnerre d'applaudissements se fait entendre. Ce discours d'ouverture est d'ailleurs retransmis en direct dans tous les pays du monde.

— Je sais que vous êtes tous des champions et que les deux cent soixante millions de joueurs à travers le monde sont aussi des champions mais DIMANCHE À 16 H 00, DES JOUEURS ICI PRÉSENTS SOULÈVERONT LA PRÉCIEUSE…

Sur les dix écrans géants qui diffusent la conférence de presse, apparaît à ce moment-là le magnifique trophée mythique. Tous les joueurs présents ainsi que tous les téléspectateurs (estimés à quatre cent vingt-cinq millions à ce moment-là, à travers la planète) ont dit en même temps :

— LA COUPE DE CRISTAL !

La planète Terre entière en a tremblé.

— Bon tournoi à tous ! conclut monsieur Ararat.

La mise en scène est parfaite et le reportage sur le début de ce tournoi planétaire se termine ainsi. Toutefois, au moment où les caméras s'éteignent et où les équipes s'apprêtent à aller s'entraîner une dernière fois avant le début du tournoi, monsieur Ararat revient au micro et s'adresse aux équipes.

— Maintenant que toutes les télévisions ont diffusé l'ouverture officielle, je tiens à vous dire que tous les membres des équipes participantes bénéficient d'un privilège. Vous savez que depuis quelques mois, la Coupe de Cristal se promène autour de la planète en tournée mondiale ? Elle est arrivée ici, tout à l'heure.

Un murmure se fait entendre dans la salle. Cette Coupe a soulevé tant de passions chez les humains depuis des siècles qu'on lui voue un immense respect.

— Des files d'attente gigantesques sont déjà en place pour permettre au tout Paris de voir de près la célèbre Coupe. Depuis cette visite et depuis que la Coupe a été promise aux enfants, plus de douze millions de personnes ont pu voir la Coupe de près. Nous vous avons réservé un privilège parmi les privilèges. Par une porte dérobée, ceux qui le veulent pourront, immédiatement, aller voir la Coupe de Cristal. Qui le souhaite ?

Les mains se lèvent en un éclair. Monsieur Ararat indique l'endroit où il faut aller. Puis, il s'approche de Martin en lui disant :

— Vos amis peuvent venir. À la demande générale, vous serez les premiers !

Monsieur Ararat lui-même dirige tous les joueurs, Martin, Nick, Béatrice, Vladana, Mahmoud et Mohamed en tête, dans un couloir qui les mène jusqu'à l'immense hall d'entrée du stade où des activités multiples sont en cours. Des milliers et des milliers de personnes s'y sont données rendez-vous. Certains sont restés depuis quatre jours devant le stade encore fermé pour pouvoir apercevoir en personne la célèbre Coupe. Au moment où les joueurs guidés par monsieur Ararat et Martin sortent dans le hall, un murmure se fait entendre et la foule commence à applaudir puis à crier.

Heureusement, des centaines de gardes de sécurité réussissent à contenir le mouvement de foule mais tous veulent voir les joueurs qui participeront à ce tournoi. Martin et Mahmoud sont les plus populaires ; cela se voit et s'entend aisément.

— Martin, Martin, Mahmoud, Mahmoud ! crient des groupes en les apercevant. Puis, tous les joueurs sont encouragés et applaudis à tout rompre.

L'atmosphère est unique et Martin est aux anges. Mais ce qui attire d'abord son regard en route vers la précieuse Coupe, c'est une grandiose exposition de photos grandeur nature où il est possible d'observer en détails le roi Pelé (Brésilien), le béni des dieux Maradona (Argentin), le sensationnel Ronaldo (Brésilien), l'inspiration de toute une génération Zinedine Zidane (Français d'origine) ainsi que d'autres grands de ce sport, Ronaldhino, Platini, Beckham, Beckenbauer, Kaka le Brésilien, Figo le Portugais ; plus d'une centaine de joueurs sont représentés et semblent vivants et prêts à exprimer tout le génie qui les habite. Baktush Amar devrait aussi y être... un jour peut-être que sa réputation sera rétablie !

Au centre de tout ce déploiement, trône une multitude de photos où on peut voir la célèbre Coupe de Cristal dans les mains de tous ceux qui l'ont jadis gagnée. Puis, devant eux, ils aperçoivent un promontoire barricadé protégé par cinq géants aux bras d'acier qui entourent la célèbre Coupe protégée par une cage de verre.

— Moi, je vais y toucher ! dit Mahmoud en se tenant tout près de Martin.

— N'essaie même pas ! dit monsieur Hamid qui se tenait tout près.

— Pourquoi ?

— Il y a une légende qui dit que ceux qui touchent à cette Coupe sans l'avoir gagnée et méritée meurent dans l'année qui suit.

Monsieur Hamid dit cela en riant et le répète à tous mais personne ne croit à cette légende.

— C'est vrai ça, Vladana ? demande Nick très bas à Vladana.

— Peut-être ! dit-elle en souriant.

— Avancez, avancez.

Des guides se promènent dans la file et s'adressent aux joueurs.

— Vous ne disposez que de trente secondes par groupe autour de la Coupe, dit un jeune guide. Préparez-vous déjà à prendre une photo ; décidez qui se place où. Si vous voulez, un guide prendra même la photo pour vous. Personne ne touche à la cage de verre. C'est bien compris ? Avancez ! Venez voir de près la Coupe de Cristal. Peut-être la tiendrez-vous dans vos bras dimanche ?

Nick reste en retrait et s'aperçoit que Vladana est très nerveuse. Jamais, il ne l'a vue comme ça auparavant. Martin, lui, semble s'approcher du paradis. Au fond de lui, il sent que sa destinée le mène vers cette Coupe. Il deviendra peut-être le plus jeune être humain à y toucher. Depuis le début de cette histoire, il visualise sans arrêt cette victoire finale.

À mesure qu'ils s'en approchent, Vladana est de plus en plus nerveuse.

— Vladana, ça va ? lui demande Nick. Je ne t'ai jamais vue ainsi.

— C'est... comme si je retrouvais un vieil ami, cette Coupe est beaucoup plus unique qu'on ne peut l'imaginer... Elle a été forgée d'une façon bien spéciale comme tu sais !

Béatrice remet son téléphone cellulaire à un des guides pour qu'il puisse prendre une photo puis elle court rejoindre Martin, Nick, Mahmoud et Mohamed qui se placent de chaque côté de la cage de verre. Vladana se dirige directement derrière la Coupe. Nick la trouve vraiment bizarre. On dirait qu'elle peine à respirer. Il voit sa tante se pencher et approcher son visage à la hauteur de la Coupe de Cristal qui se tient en équilibre sur un socle en or brillant.

— Regardez ici ! Souriez ! dit le guide.

À la surprise générale, elle ouvre la cage de verre et place sa main sur la Coupe de Cristal. Elle a fait cela si rapidement que les agents n'ont pas pu l'empêcher d'agir, croyant à une blague.

— Ah ! Non ! dit Vladana très fort.

Toutefois, en moins d'une seconde, le plus près des agents se saisit du bras de Vladana pendant qu'un deuxième referme la cage. Nick, pour éviter tout problème à sa tante, pose sa main froide sur l'épaule du premier agent qui, au lieu de briser les bras de Vladana, comme on le lui a appris, ne fait que l'entraîner gentiment plus loin. Dans la foule grouillante, des rumeurs circulent à l'effet que Vladana avait voulu voler la célèbre Coupe.

— Désolée ! dit Vladana.

Nick réussit à garder sa main froide sur l'épaule du gardien qui, ainsi, demeure très calme et respectueux et qui dit :

— Il n'y a rien à voir. Cette dame n'a pas touché la Coupe de Cristal !

Trois autres gardiens s'approchent de Vladana, prêts à agir avec plus de force, si nécessaire.

— Ça va, les gars, dit monsieur Ararat. Il n'y a pas de mal. Tout est OK.

Le guide vient redonner à Béatrice son téléphone avec lequel il a photographié.

— Qu'est-ce qui s'est passé ? demande-t-elle. Vous avez ouvert la cage ?

— Non, non, dit Béatrice. Elle a glissé.

— Un attroupement se fait autour de Vladana mais le premier gardien, sur l'épaule duquel Nick a toujours sa main, calme définitivement le jeu.

— Il n'y a rien à voir, dit-il. Dépêchons, dépêchons. On continue les visites.

Tous les joueurs avancent à tour de rôle près de la Coupe.

Ce n'est que deux heures plus tard que Vladana, toujours silencieuse, réunit Nick, Martin et Béatrice :

— Je ne me sens pas bien ! dit Vladana.

— C'est sûrement à cause de la Coupe, on ne peut pas y toucher ! dit Béatrice.

— Vladana, dit soudainement Martin, je ne comprends pas pourquoi tu as fait ça.

— Il fallait que je vérifie.

— Vérifier quoi ? demande Martin.

— Regardez, dit Béatrice, j'ai la photo quand tu lui touches.

— Tu l'as vraiment touchée ? demande Nick.

— Oui.

— Mais pourquoi l'agent n'a rien dit ? Je lui touchais avec ma main froide. Normalement, il ne peut dire que la vérité avec ma main froide sur son épaule !

— Il a dit la vérité ! dit Vladana.

— Mais non. Il a dit que tu n'avais pas touché à la Coupe de Cristal.

— Il a dit la vérité ! dit Vladana, encore éberluée.

— Mais non, Vladana. Regarde sur la photo ! C'est clair que tu y touches.

— Je vous le dis. Je n'ai pas touché à la Coupe de Cristal !

— Mais... insiste Béatrice.

— Ah ! Je comprends, dit Martin. Ce que nous avons vu n'est pas la Coupe de Cristal.

— Non, dit Vladana, car la Coupe de Cristal a été volée.

CHAPITRE 4

Le tournoi

Le tournoi se déroule à un train d'enfer. Les matchs se suivent rapidement et les joueurs n'ont pas le temps de se reposer.

Nick, Martin, Béatrice et Vladana essaient tant bien que mal d'essayer d'y voir clair dans ce vol de la Coupe de Cristal mais ils n'arrivent pas à trouver des indices suffisants pour connaître l'identité du voleur. Sans doute est-ce Rohman mais comment a-t-il fait ? Et surtout, comment faire pour le retrouver ?

Martin tente de rester concentré sur son jeu et celui de son équipe. Des sept premiers matchs, ils en ont gagnés cinq et perdus deux. Ils terminent donc deuxième dans leur groupe, derrière la France. Dans chaque groupe de huit équipes, deux équipes seulement peuvent se qualifier pour les huitièmes de finale. Ce fut fait avec une victoire in extremis de 2 à 1. Une nulle ne suffisait pas et Martin a marqué un but qui a soulevé le stade alors qu'il ne restait que deux minutes au cadran.

Jeudi, il ne reste donc que seize équipes en lice. Le Canada affronte le Portugal alors que l'Égypte devra se battre contre le Mexique. Deux matchs qui nécessiteront des tirs de barrages pour déterminer un vainqueur.

Martin marque le but gagnant alors que Mahmoud arrête tout sur son passage pour mener l'Égypte vers les quarts de finale du vendredi.

— Le Canada et l'Égypte, deux équipes marquées par le destin, n'ont cessé d'accumuler les victoires. Les voici, maintenant appuyés par la planète toute entière, dans le groupe très relevé des huit meilleures équipes au monde.

Cet article publié par le journal L'Équipe, publié en France, est repris par presque tous les grands quotidiens du monde.

En long et en large, au moins le tiers de la planète suit maintenant le dénouement de cette compétition.

La France, l'Espagne, l'Australie, le Brésil, l'Iran, la Côte d'Ivoire, le Canada et l'Égypte, huit pays dont les dirigeants sont très fiers. Les matchs du jeudi ont été si chaudement disputés que l'atmosphère grandit au fur et à mesure qu'on approche de dimanche. De retour à l'hôtel, Martin sent qu'il est temps d'agir.

Martin est très nerveux. Une perruque sur la tête, une paire de lunettes dorées sur le bout du nez, portant un pantalon chic et une chemise, une cravate et un veston sobre que son père lui a trouvé, il descend l'escalier entre le 3e étage et le 2e étage de l'hôtel où les équipes logent. Il sort déguisé pour ne pas être vu des centaines de journalistes qui le harcèlent sérieusement.

Nick et Béatrice créent de la diversion en prenant l'ascenseur et en marchant dans le hall d'entrée de l'hôtel. Martin se dirige vers le Pont-Royal.

En descendant le dernier escalier qui mène derrière les cuisines, il voit deux photographes au détour d'un corridor et il a juste le temps de se cacher pour ne pas être aperçu d'eux. Il traverse plutôt la cuisine le plus discrètement possible, sort dans la ruelle à l'abri des regards indiscrets et se rend au rendez-vous qu'il a lui-même organisé.

Sous le pont, protégé encore une fois par l'écran de fumée du sphinx, les huit capitaines des équipes participantes aux quarts de final sont au rendez-vous.

Martin est vraiment impressionné. Depuis quatre jours que sa vie est un cirque. Il y a tant de gens qui veulent parler à ceux qui se sont perdus dans la pyramide. Pourtant, à son grand contentement, tous ont accepté son rendez-vous secret. Dont Mahmoud, le capitaine de l'équipe égyptienne.

— Merci, merci d'être là, dit Martin en français. Je suis vraiment impressionné que vous soyez tous là et que vous n'ayez rien révélé à personne concernant ce rendez-vous.

Martin se rend vite compte que la plupart des capitaines ne le comprennent pas. Mahmoud et Martin sortent alors la boule de feu de sa cachette, derrière la pierre. Aussitôt, admirant cette boule lumineuse, ils se mettent à rire et à partager leurs impressions tantôt en arabe, tantôt en français, en espagnol, etc... Tous se lèvent, se regardent et sont terriblement surpris de comprendre les propos de leurs interlocuteurs et d'être enfin compris.

— Comment ça fonctionne ? demande Daniela, la capitaine de l'équipe du Brésil. Je parle portugais et vous me comprenez ! Qu'est-ce que c'est que cette boule de feu?

— Nous en ignorons le fonctionnement, dit Martin. Mon père nous l'a donnée et, c'est magique... cette boule de feu procure des pouvoirs incroyables. Le jour où tout le monde l'utilisera, tous se comprendront sur la planète. Mais il nous est encore impossible de l'exhiber car plusieurs personnes la recherchent pour leurs propres intérêts personnels. Elle pourrait cependant aider à retrouver la Coupe de Cristal !

Tous les joueurs se mettent à parler plus fort.

— Retrouver ? Pourquoi vous dites retrouver ?

— La Coupe de Cristal a été volée. Celle qui est là est une fausse, une réplique ! dit Mahmoud.

— Chut ! Chut ! dit Martin. Oui, elle a été volée mais on ignore l'auteur du vol. Il y a des gens qui nous suivent partout. Mais ne dites rien à personne, nous allons la retrouver, c'est certain. Nous pourrions être repérés... alors ne dites rien. Tout le monde cherche à s'accaparer nos secrets. Je vous ai demandé de venir ici discrètement et nous sommes là pour prouver que nous pouvons changer des choses. Est-il possible pour vous de garder un secret ?

Tous répondent : OUI.

— Nous pouvons profiter de ce tournoi pour lancer un message au monde entier.

— Quel message ? demande Farheim, le tout petit capitaine de l'équipe de l'Iran qui est très heureux de se retrouver avec des jeunes de tous les continents.

— Et bien, le premier message est le suivant : le football, le soccer comme on l'appelle chez nous au Canada, est un jeu. Êtes-vous d'accord ?

— Oui ! répondent-ils tous en chœur.

— Nous voulons gagner, c'est vrai ? demande Martin.

— Oui ! répondent-ils à nouveau en chœur.

— À n'importe quel prix ?

Il y a des hésitations chez chacun des capitaines.

— Non, reprend Hitsma. Mais dans mon pays, on considère ce tournoi très sérieusement.

— Depuis que la coupe du monde des adultes a été bannie... continue Laurie, Australienne, je ressens beaucoup de pression.

— La présidente de mon pays et des grands joueurs du passé sont venus nous remettre des drapeaux et...

Chacun y va de sa petite histoire et tous se rendent compte qu'on est en train de recréer le même climat de haute compétition entre les nations.

— Je comprends, dit Martin. Mais je pense qu'il ne faut pas trop se concentrer sur le passé, mais davantage sur les joueurs et sur la rencontre entre nous.

— Oui... Oui ! Les sept autres capitaines sourient.

— Promettons-nous de faire de notre mieux.

— Oui ! répondent-ils tous.

— Et de faire en sorte que l'on n'encourage pas la haine, la supériorité d'un pays sur un autre…

— Non, non ! disent-ils tous, sincères.

— Pouvez-vous en parler en secret à vos coéquipiers ? Mais peut-être pas à vos entraîneurs !

— Oui ! dit Guidhid, représentant la Côte d'Ivoire. Ce qui va être difficile, c'est… Regardez !

De son sac à dos, il sort des dizaines et des dizaines de listes de noms et d'organisations qui appuyaient l'équipe nationale avant les scandales qui, là, les appuient eux.

— C'est la même chose chez moi, tout le monde veut avoir la Coupe de Cristal ! dit Daniela.

— C'est la folie furieuse en Égypte, dit Mahmoud. Je pense que le monde entier a besoin d'une bonne leçon.

— Le monde entier nous regarde ! dit Martin.

— Est-ce que ça veut dire que nous nous arrangeons pour ne pas gagner ?

— Comment pouvons-nous faire ça ? Nous ne jouons pas ? Nous décidons à l'avance du gagnant ?

Martin fait signe que non de la tête.

— Non, il faut trouver une autre solution ! Je m'occupe de retrouver la Coupe de Cristal ; je pense que je sais où elle peut être ! La boule de feu va m'y mener ! Déjà, c'est elle qui m'a convaincu de venir ici vous rencontrer !

On entend du bruit non loin du petit groupe puis des paroles, puis des bruits de gens qui courent et se sauvent. Nick arrive.

— Martin, dit Nick. Vous les avez vus ?

— Qui ça ?

— Il y avait deux journalistes, un photographe. Ils avaient un micro. Béatrice et moi les avons surpris. Elle essaie de les rattraper.

Les huit capitaines suivent Nick et le dépassent rapidement à la poursuite des trois hommes qui courent à vive allure deux cents mètres plus loin. Ils sont suivis de très près par Béatrice qui crie très fortement son désaccord. Des passants s'arrêtent et rigolent un peu mais personne n'arrête les fuyards qui réussissent à sauter dans un métro avant que Béatrice et sa bande ne les rejoignent.

Tous réussissent à apercevoir les journalistes quand le métro démarre. Martin, le premier des capitaines à rejoindre Béatrice, leur crie :

— Attendez, attendez, ne parlez pas de notre réunion... C'est secret ! dit-il très fort.

Puis, se rendant compte qu'une foule de curieux murmurent autour d'eux, tout le groupe se réfugie dans une ruelle.

— Qu'est-ce qu'on fait ? demande Daniella.

— Nous jouons nos parties normalement, répond Martin. Seulement, n'embarquons pas dans la folie... amusons-nous !

Tous rigolent un peu. Un groupe de curieux vient les voir. Alors, le groupe se disperse.

Le lendemain, à la une des journaux de Paris, un scandale époustouflant éclate.

Les enfants ont plutôt mal appris de leurs pères.

Les huit capitaines font un pacte et s'entendent sur qui doit gagner ou perdre. Répètent maintenant tous les médias du monde.

Tous les joueurs et tous les instructeurs nient en bloc ces affirmations mais cela, au lieu de calmer le jeu, a pour effet de révéler toutes les vieilles rivalités entre les pays.

Ainsi, lors des quatre matchs des quarts de finales, la tension est telle dans les équipes que des bagarres éclatent dans les estrades. La foule est survoltée.

L'Égypte bat l'Australie 1 à 0

La France bat l'Espagne 2 à 1

L'Iran s'incline devant la Côte d'Ivoire 4 à 2

Et le Canada surprend le Brésil, l'équipe favorite, au compte de 3 à 2

Après ces matchs, les capitaines des équipes perdantes s'ouvrent la bouche et révèlent que la Coupe de Cristal a été volée.

Partout dans le monde, on ne parle que de ces enfants retrouvés au fond de la pyramide qui seraient maintenant un peu trop bénis des dieux. Le succès, aux dires de tous, semble leur coller à la peau. Martin a encore marqué deux buts alors que Mahmoud n'a donné que quatre buts en neuf matchs.

Tout le monde soupçonne les autres d'avoir arrangé les parties ou pire, d'avoir été forcés à le faire par une boule de feu magique qui aurait été trouvée dans les pyramides. Grâce à la vitesse d'internet, l'opinion mondiale se soulève. La trêve de bonne entente suggérée par Martin n'est donc respectée par personne. Certains jeunes capitaines révèlent l'existence de la boule de feu aux médias ; on accuse Martin et Mahmoud de tricher.

La magie au service du sport.

Les deux jeunes ont trouvé une potion magique dans la pyramide.

Les Canadiens et les Égyptiens essaient d'hypnotiser le monde afin de remporter la Coupe de Cristal. ATTENTION.

Dans les journaux, c'est la guerre. Les uns accusant les autres.

Les organisateurs pensent éliminer le Canada et l'Égypte pour cause de magie noire. Mais la France, sûre de sa victoire à cause de sa tradition gagnante, décide de jouer le match.

CHAPITRE 5

La fin du monde

La France n'a jamais été battue au football par un pays nord-américain et, avec tous ces scandales à répétition, on aimerait bien que cette glorieuse Coupe de Cristal reste en territoire français. Ce serait merveilleux pour la France, le capitaine de l'équipe des jeunes Français étant le fils de la vice-présidente du pays.

Dans les estrades, le doute s'installe. Depuis quelques jours aussi à travers le monde, on commence à chuchoter que Martin et Mahmoud ont peut-être un avantage déloyal puisqu'ils ont vécu une semaine en présence de la Coupe.

— Ont-ils acquis un pouvoir qui les rend invincibles ?

Dans les journaux, on les caricature comme des mutants à la force surhumaine. Mais tout cela est un peu de la rigolade ; on s'amuse avant le grand match. Markus, le fils de la vice-présidente, va sortir ses petits tours de magie avec le ballon et les Canadiens vont repartir chez eux sans le tant convoité trophée, pense-t-on dans toute la France.

Et là, l'impossible se produit. Martin marque à la première minute de jeu. Dans le stade, dans les maisons, dans les écoles, dans le monde entier, c'est la consternation. La France ne peut pas perdre. Dans le stade, tous sont sous le choc. Pas un son ne sort d'aucune bouche. Même les supporters canadiens se taisent, n'en croyant pas leurs yeux. L'improbable se produit, le Canada l'emporte 2 à 1. Martin a marqué les deux buts d'une manière si époustouflante que la foule a quitté dans un silence terrible. La colère régnait dans les yeux des spectateurs adultes. Les enfants, pour la plupart, étaient sincèrement contents d'avoir assisté à un si beau match.

Les médias du monde entier demeurent surpris : « La France vient de faire la preuve que ce sport peut être merveilleux. La foule, surtout remplie de jeunes supporters, il faut bien le dire, s'est mise à scander le nom de Martin Allart à la fin du match alors qu'il représente ici l'ennemi... Oh pardon, l'adversaire, voulions-nous dire. »

* * *

Juste après la tenue du match, Martin part à la rencontre de son père qu'il retrouve comme prévu, sous le Pont-Royal.

— L'heure est grave, papa. Nos matchs n'ont plus aucun sens. La Coupe de Cristal est fausse et tout le monde le sait. Pourquoi continuons-nous à jouer ?

— Pour le jeu, seulement pour le jeu ! Fiston, qui crois-tu a volé la Coupe de Cristal ?

— Rohman ?

— Non !

— Ses lézards ?

— Non ! répond toujours bien calmement Baktush.

— Les dirigeants des pays ? L'OMF ? La France ? Le sphinx ?

— Non !

— Toi, tu le sais ?

— Martin, fiston, combien de trophées as-tu gagnés dans ta vie ?

— 35, 36 peut-être ?

— Et des médailles ? demande Baktush en plaçant sa main affectueusement sur ses épaules.

— Au moins cent, plus peut-être !

— Et…

— Attends, attends, papa, je viens de comprendre… le trophée ne veut peut-être rien dire au fond !

— Rien, fiston, rien !

— La Coupe de Cristal, elle ne sert à rien au fond !

— Rien, c'est ce que j'ai enfin compris ! La Coupe de Cristal ne sert à rien, à rien, à RIEN de plus que le plaisir d'avoir joué à un jeu avec des amis ou avec des adversaires ! Les spectateurs français, surtout les jeunes nous l'ont montré aujourd'hui… ils ont aimé le spectacle même si leur équipe a perdu !

— Papa, je viens de tout comprendre. C'est toi qui as volé la coupe !

— Oui, c'est moi ! J'ai pensé la remettre à Rohman, avec la boule de feu que tu lui remettras et il deviendra l'homme le plus puissant de la Terre ! Mais, ce qu'il ne sait pas encore et que toi et moi savons maintenant, c'est que ça ne sert à rien. À RIEN ! L'important est le jeu ! Pas la coupe, pas le cristal, pas la vie éternelle, pas le cadeau, pas la richesse, mais seulement le jeu, le plaisir du jeu de football ! Là, tout de suite ! L'important n'est pas de gagner mais de donner le meilleur de soi-même.

— J'ai une idée, papa ! Tu crois que le sphinx peut m'aider ?

— Nous pouvons toujours lui demander !

* * *

L'Égypte ayant gagné aussi sa demi-finale, la grande finale se prépare comme si un scénario grandiose avait été écrit. Baktush Amar sera le capitaine honoraire de l'Égypte alors que Nick sera celui du Canada. Il a été réhabilité grâce aux récits de Nick, Béatrice et Martin.

La célèbre Coupe de Cristal n'ayant toujours pas été retrouvée, les médias consacrent maintenant la moitié de leurs reportages sur le match et l'autre moitié sur les activités policières entourant les recherches visant à retrouver coûte que coûte cette précieuse coupe.

Des experts en viennent à mettre en doute les pouvoirs magiques de cette précieuse Coupe et certains se désintéressent peu à peu de ce sujet. Du point de vue sportif, la demi-finale consolation entre la France et la Côte d'Ivoire est sur le point de commencer. Dans la foule, on s'amuse ferme. Le stade est rempli à pleine capacité et la fête est à son apogée. Le Cirque du Soleil soutient l'intérêt du public pendant l'heure qui précède le début du match. Sans le savoir, ils ont recréé le tout premier match de football qui a eu lieu en lointaine Égypte. Les créateurs du Cirque du Soleil ont été inspirés merveilleusement bien.

Ils ont décidé de mettre en scène deux grandes armées qui se battent de chaque côté d'un immense ballon. Puis, la guerre se transforme en danse gigantesque qui fait voler autour du ballon les gens jadis ennemis et maintenant partenaires de danse. Un clown se couronne champion du monde en plaçant une coupe sur sa tête et en sortant du stade complètement seul.

Pendant cette scène, Martin, Nick et Béatrice mettent leur plan à exécution. La plupart des soixante-quatre équipes s'étaient données rendez-vous au stade pour la grande finale. Martin, Nick et Béatrice sont allés rencontrer les capitaines de chacune de ces équipes. Ils leur ont donné rendez-vous dans les coulisses du stade.

Une demi-heure avant l'heure fatidique pour la réalisation de leur plan, ils sont montés à toute vitesse pour avertir Baktush que tout était parfait.

Avec l'accord du sphinx, Vladana avait fait venir Maïa, le petit ange.

— Mes amis, dit très fort Martin, aux sept cent dix-sept jeunes joueurs qui avaient participé au tournoi et qui s'étaient déplacés dans les coulisses du Parc des Princes sous le conseil de leur capitaine, merci d'être là. Comme votre capitaine vous a sûrement révélé en secret, nous avons retrouvé la Coupe de Cristal !

Les jeunes joueurs regardent tout autour dans l'espoir de l'apercevoir.

— Elle n'est pas encore là mais cette Coupe existe vraiment, continue calmement Martin. Mais pour l'avoir, il faut me faire confiance. Il est vrai que sous la pyramide et dans un temple secret, Nick, Béatrice et moi sommes entrés en contact avec des mondes magiques et merveilleux. Aujourd'hui, nous voulons vous partager tout cela. Plus tard, vous pourrez aussi le partager avec d'autres. Maïa, c'est à toi !

Le petit Maïa étend ses ailes d'ange toutes blanches et tous les enfants en restent ébahis d'étonnement.

— C'est un ange ? Les anges existent ? murmurent tous les jeunes.

— Si vous voulez voir et prendre la Coupe de Cristal, vous n'avez qu'à faire comme Martin, Béatrice et Nick.

Maïa étend lentement les bras. Martin dit à tout le monde :

— Il faut plonger dans le cœur de l'ange ! Il faut y croire, ce n'est pas magique car c'est là, devant vos yeux. Venez avec nous et ce sera miraculeux !

Martin fend en deux la foule des meilleurs jeunes joueurs de football au monde de façon à faire une grande allée au milieu du groupe. Maïa se tient très droit et souriant devant

Martin. Puis en disant: Vers la Coupe de Cristal! Il court dans l'allée sur une distance d'environ cent mètres et plonge au milieu du cœur de Maïa où il s'infiltre pour disparaître et se retrouver en plein cœur du temple d'Osiris où le sphinx attend devant un immense feu. Le dieu Osiris est assis, un peu triste, attendant calmement un client qui viendra un peu plus tard à son rendez-vous avec la mort.

Au Parc des Princes, les sept cent dix-sept jeunes joueurs ont tous décidé de plonger un après l'autre en faisant une pirouette, en rigolant, et même en faisant des grimaces.

Dans le temple d'Osiris, le sphinx accueille tous les joueurs avec patience, un à un, en les saluant par leur prénom. Puis, il leur dit:

— Si vous êtes prêts à gagner la Coupe de Cristal, elle est là, magique, merveilleuse, aux pouvoirs infinis, dans ce feu. Elle est là pour chacun de vous.

Martin marche en tenant la main du sphinx qui le guide à travers l'immense feu brûlant. Au bout d'un instant, il en ressort avec dans ses bras la Coupe de Cristal.

Mahmoud est le deuxième à se présenter. Il se dirige vers Martin pour saisir la Coupe mais le sphinx le prend par la main et le dirige dans le feu d'où il ressort lui aussi avec une Coupe de Cristal. Tous les joueurs applaudissent et admirent ces Coupes identiques en tout point sauf sur la vignette du bas où le nom de Martin puis celui de Mahmoud est apposé sur leur Coupe de Cristal respective.

Tous les joueurs passent à tour de rôle. À la fin, Nick et Béatrice sont invités par le sphinx à y passer à leur tour.

— Mais, dit Nick, je ne joue pas au football !

— Moi non plus !

— Non, dit le sphinx, mais cette Coupe de Cristal t'assure que tu es le meilleur là où tu sais être le meilleur !

Osiris est toujours assis, comme s'il attendait quelqu'un.

Le sphinx souffle si fort qu'il déchire l'air et crée une brèche pour que tous les joueurs traversent le temps et l'espace en un instant pour se rendre dans les coulisses du stade.

— Maïa, demande le sphinx au jeune ange, tiens cette brèche ouverte, s'il te plaît !

Sur le terrain, le spectacle d'ouverture du Cirque du Soleil se termine. C'est à ce moment-là que Rohman rencontre Baktush.

— Bienvenue Rohman, mon frère. Je renonce à notre bagarre éternelle ! Tiens ! dit Baktush en tendant la Coupe de Cristal à son frère.

— Merci, frérot. Enfin, nous sommes d'accord !

Au moment où il saisit la Coupe entre ses mains, il aperçoit Martin, Nick, Béatrice et en tout sept cent dix-sept jeunes qui portent tous à bout de bras chacun une Coupe de Cristal.

Baktush montre à son frère que chacun a fait graver par le sphinx sa propre coupe.

— Il t'attend quand tu voudras. Maïa tient le passage ouvert juste pour toi, Rohman, mon frère depuis tant d'années et pour toujours.

Dans le stade, quarante-cinq mille personnes applaudissent les joueurs qui viennent parader. Les télévisions du monde entier retransmettent cette entrée magnifique. Tout le monde croit à une bonne blague en les voyant tous porter une Coupe de Cristal. Cela crée une bonne humeur générale et les deux matchs à l'affiche se déroulent de façon très harmonieuse.

Qui a gagné ? Sincèrement, si on demandait aux spectateurs et aux joueurs après les matchs, ils ne s'en souviendraient peut-être plus. Une chose est sûre, tous se souviennent d'un autre but magnifique de Martin et de quelques arrêts miraculeux de Mahmoud. Ils sont aujourd'hui les dieux du stade. Surtout, ils s'amusent comme des fous. Vive le football !

Baktush est heureux. Il a rempli sa mission car maintenant, plus de sept cents jeunes gens du monde entier seront des ambassadeurs de la paix à travers le monde. Il pourra enfin essayer de regagner le cœur de la belle Leïla Allart, sa femme.

Mais bien avant que tout cela se termine joyeusement sous des feux d'artifice, Rohman Amar, avide de voir son nom gravé sur son trophée, a traversé le temps et l'espace à travers la déchirure soutenue par Maïa. À sa grande surprise, en entrant dans le temple d'Osiris, il ne retrouve pas le sphinx mais plutôt Osiris qui se lève de sa chaise et qui lui dit :

— Viens, mon cher Rohman. Viens, tu es peut-être un de mes derniers clients !

Rohman se retourne et voit Maïa qui lui sourit gentiment en refermant la brèche du temps sur sa mort. Osiris le conduit ensuite à son dernier repos. Sur la Terre, des millions de lézards retournent vers les marais.

* * *

Vladana, Martin, Nick et Béatrice écrivent des lettres aux sept cent quatorze joueurs et joueuses de football qui sont repartis dans leur pays.

— J'aimerais aller les visiter, tous ! dit Béatrice. Des gens voudront sûrement en savoir plus sur les pouvoirs de la Coupe de Cristal !

— Nous irons tous avec toi ! disent Martin, Nick et Vladana.

Suivez la suite de ces voyages autour du monde dans le prochain épisode de *Nick la main froide : Le dôme de San Cristobal !*

TABLE DES MATIÈRES

Achevé d'imprimer sur les presses de
Quebecor World Saint-Romuald.

Imprimé sur du papier Enviro 100% postconsommation,
traité sans chlore, accrédité Éco-logo et fait à partir de biogaz.

certifié

procédé sans chlore

100 % post-consommation

archives permanentes

energie biogaz